“遗”脉相承，老祖宗的传家宝

民俗

丛书主编　王文章
本书主编　佘　会
绘　　图　叶乙树
封面设计　管小辉

中国大百科全书出版社

图书在版编目（CIP）数据

“遗”脉相承，老祖宗的传家宝．民俗／《“遗”脉相承，老祖宗的传家宝》编委会编．——北京：中国大百科全书出版社，2018.3

ISBN 978-7-5202-0232-9

Ⅰ．①遗…　Ⅱ．①遗…　Ⅲ．①中华文化—青少年读物　②风俗习惯—中国—青少年读物　Ⅳ．①K203-49 ②K892-49

中国版本图书馆CIP数据核字（2018）第008937号

社　　长：刘国辉

选题策划：连淑霞　　丛书责编：余　会　　营销编辑：刘　嘉

责任编辑：李　静　　版式设计：张　磐　　责任印制：魏　婷

出版发行：中国大百科全书出版社　　http://www.ecph.com.cn

社　　址：北京阜成门北大街17号　　邮政编码：100037

印　　刷：北京顶佳世纪印刷有限公司

开　　本：889mm×1194mm　1/16　　印张：2　字数：30千字

版　　次：2018年3月第1版　　2018年3月第1次印刷

ISBN 978-7-5202-0232-9　　定价：36.00元

（如发现印装质量问题，请与本社联系调换，电话：88390713）

寄语

非物质文化遗产世代传承，与人们的日常生活紧密相连，很多都表现为人们的生活方式和生产方式。在现代化进程中，虽然人们的生活方式和生产方式都在改变，但这些文化遗产中寄寓的人类的智慧、精神、情感，仍然是我们徜徉的精神家园，也是我们文化创新和文化自信的重要根基。习近平主席强调坚持文化自信，强调立足中华优秀传统文化，培育和弘扬社会主义核心价值观。我们更应珍视中华民族优秀的非物质文化遗产，要以自觉意识参与保护，从而在珍视和保护中细雨入心，以文化人，坚定文化自信。

《“遗”脉相承，老祖宗的传家宝》儿童绘本的出版，正是从儿童抓起，为儿童提供认知非物质文化遗产的图文并茂、形象生动的读物，在他们幼小的心灵里播下中华民族世代相传的文化的种子，厚植民族文化的基因。

《“遗”脉相承，老祖宗的传家宝》注重从核心思想理念、中华传统美德、中华人文精神三个层面挖掘探求非物质文化遗产内涵，并全面展示我国具有代表性的非物质文化遗产的鲜明特征及其传承发展的社会和自然生态环境。难能可贵的是，绘本深入浅出，化繁为简，捕捉灵魂，将非物质文化遗产的知识体系融入生动细致的手绘插画之中，让孩子们阅读起来既汲取知识，又可感受审美意趣。相信它的出版，会为儿童阅读带来乐趣，也会为孩子们认知非遗价值，学习非遗知识，唤起保护意识起到良好作用。

王文章

2018年2月8日

目录

春节

"二十三，糖瓜粘；二十四，扫房子；二十五，做豆腐；二十六，炖羊肉；二十七，宰公鸡；二十八，把面发；二十九，蒸馒头；三十晚上熬一宿，大年初一扭一扭。"这首脍炙人口的童谣，唱的正是中华民族最隆重、最盛大的传统节日——春节。

春节，又称旧历新年，指正月初一，但通常要到正月十五才结束。忙碌了一年的人们，终于可以全家团聚，一起祝福来年的新生活。春节期间会举行很多庆祝活动，比如放鞭炮、包饺子、逛庙会等。你能说说你们那里的春节有什么活动吗？

春节

申报时间：2006

申报类别：民俗

申报地区：中央（文化部）

历史

春节历史悠久，通常认为起源于殷商时期的祭神活动。在几千年的发展历程中，出现了丰富多彩的习俗和活动，具有浓厚的民族文化特色。

现状

如今，常常听到人们抱怨“年味儿淡了”：过去挨家拜年，现在足不出户就电话拜年了；过去只有过年才能穿新衣吃美食，现在什么都不缺了。其实，社会的发展只是改变了过去的表达形式，但人与人之间的亲情，以及对美好生活的向往都是不变的。

习俗

* 腊月初八喝腊八粥；
* 二十三祭灶，吃关东糖、喝糖粥等；
* 除夕夜包饺子、包汤圆、放鞭炮、守岁；
* 正月初一迎神、拜年；
* 初五开小市；
* 正月十五开大市、迎财神、吃元宵、游灯会、猜灯谜等。

腊八粥

腊八这天，人们用米、豆等谷物和枣、莲子等干果熬粥。传说腊八粥起源于佛教，释迦牟尼在游历途中又饥又渴，被一位好心人用糯米加野果做的粥救了他。这一天释迦牟尼得道成佛，恰好是腊月初八。因此，每逢这一天寺院都会煮粥供佛，流传至民间成为一种习俗。

年兽的传说

相传，中国古时候有一种叫年的怪兽，头长犄角，牙尖齿利，每到除夕便出来兴风作浪，伤人害畜，无恶不作。无奈之下，村民们只好在这天逃往深山，以躲避年兽的伤害。

这年除夕，村里突然来了一位白发银须、身披红袍的老人。大家无心顾及，纷纷封窗锁门，牵牛赶羊，上山避难。

老人独自留在了村里。半夜时分，年兽闯进村。只见老人左手燃烛，右手放鞭，身后的门上还贴着大红对联。年兽浑身战栗，掉头就跑，从此了无踪影。

原来，年兽最怕红色、火光和炸响。从此每年除夕，家家贴红对联、燃放爆竹；户户烛火通明、守更待岁。

庙会

逢年过节，你们那儿举办庙会吗？想必丰富多彩的庙会活动，五花八门的特色小吃吸引着你流连忘返了吧？对于庙会知识，你还了解哪些呢？

庙会，是一种古老的民俗文化，从字面意义上看，与宗教活动有着千丝万缕的联系；渐渐地，发展成为今天你所看到的欢乐喜庆的热闹场面。庙会在世界其他国家和民族也存在，因各地风土人情不同，庙会的种类和风俗也各具特色。

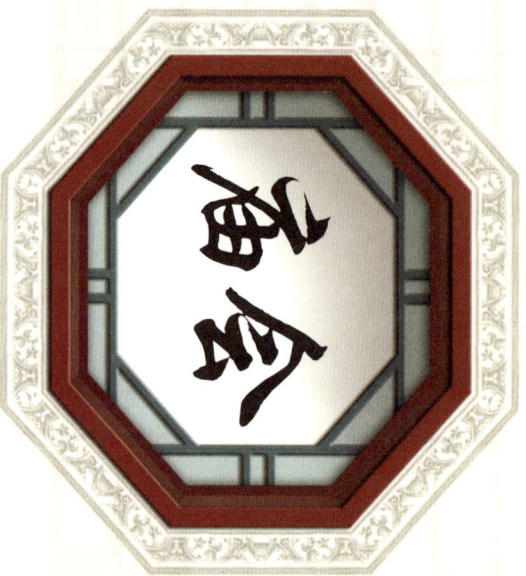

庙会

历史

中国庙会有着悠久的历史，早期与佛教、道教的宗教活动有关。每逢庙会人们虔诚地烧香拜佛，祈求祖先或神灵的保佑。自唐朝开始，庙会中渐渐融入一些商贸活动，比如地方特色小吃、舞龙杂耍等。这些丰富的娱乐活动和饮食文化，让庙会成了一个热闹的市集。

申报时间：2006

申报类别：民俗

申报地区：北京市（厂甸庙会、妙峰山庙会、东岳庙庙会）

上海市（上海龙华庙会）

山西省（晋祠庙会）

……

现状

今天的庙会正如你所看到的，虽然人气很旺，但很多已经失去了祭祀信仰的本来面貌，更多的是千篇一律的商贸活动。曾有人呼吁，要结合各地的特色，办有文化底蕴的庙会。

内容

早期的庙会因特殊的宗教节日而举办，以祭祀信仰为主要内容。当它发展为一种综合性民俗活动后，各种演出活动、饮食文化就大大丰富了庙会的内容。

各地庙会独具特色，比较有名的如北京厂甸庙会、山西晋祠庙会等。

厂甸庙会

上海龙华庙会

晋祠庙会

武当山庙会

赶茶场

这是浙江省磐安茶场庙会。相传晋代道士许逊在当地修炼时，对此地茶叶生产事业贡献巨大。当地人为他修庙、举办庆典，由此发展为赶茶场庙会。赶茶场分“春社”和“秋社”，分别是在农历正月十五和十月十五，在此期间，老百姓盛装来到茶场，举行社戏表演、挂灯笼、叠罗汉等民间艺术活动，热闹非凡。

龙王堂庙会的传说

很久以前，山东朱家村出生了一个小男孩。因出生时久旱逢甘霖，大家都说他是龙王转世，于是其父便为其起名叫“朱龙”，小名“黑龙”。

说来也奇怪，从朱龙出生以来，朱家村年年风调雨顺。而朱龙也对自己是因私自降雨被贬人间的神仙秘而不宣。不料这一年，眼见越来越旱，民不聊生，朱龙毅然现身降雨。玉帝知道后震怒不已，恰好此时东北江里有白龙作怪，便让朱龙戴罪立功，除掉白龙。六月初六经过一番激战后，朱龙终于战胜了白龙，并奉旨镇守此江。这就是黑龙江的由来。

在朱龙的家乡，乡亲们建起庙堂供奉朱龙和他的母亲、妻子，并在每年的六月初六，举行规模盛大的龙王堂庙会来纪念他。

元宵节

“东风夜放花千树，更吹落，星如雨。”在词人辛弃疾笔下，正月十五元宵节的夜晚花灯无数，烟花纷飞，令人神往。

元宵节，又称上元节、元夕，也因灯火通明而被称为灯节，是春节之后的第一个重要传统节日和月圆之夜。元宵节晚上亲人欢聚一堂，吃元宵、逛灯会、猜灯谜，其乐融融。除此之外，你还知道哪些元宵节习俗呢？

元宵节

申报时间：2008

申报类别：民俗

申报地区：中央（文化部）

北京市（敛巧饭习俗、九曲黄河阵灯俗）

河北省（蔚县拜灯山习俗）

……

历史

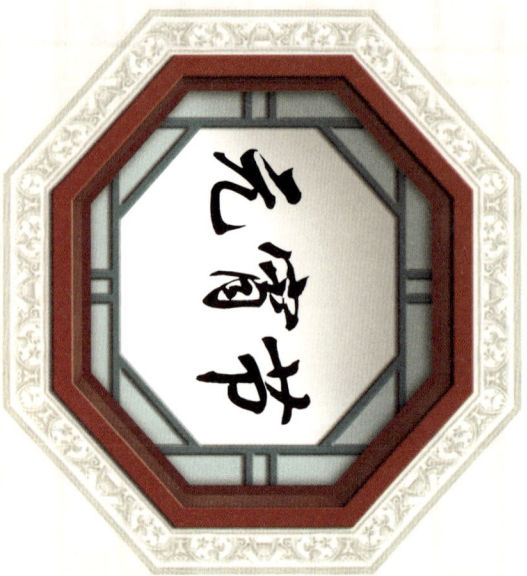

自汉代开始人们就在元宵夜燃灯，从此发展成一种风俗；到了唐代更加兴盛，“火树银花合，星桥铁锁开”描述的就是长安元宵节盛况；明代的灯节更加隆重，持续点灯整整十天；发展到清代，赏灯活动还增添了燃放烟花爆竹、舞龙舞狮等活动来助兴。

现状

经过两千多年的发展，元宵节的很多习俗渐渐被弱化，但与家人团聚吃元宵、逛灯会、祈福等风俗仍被人们传承着。这一富有团圆意义的佳节，也备受海外游子的重视。

习俗

猜灯谜　又叫“打灯谜”，最早出现于宋代。人们把谜语写在纸条上，贴在灯上供元宵夜游玩的人猜，是元宵节必备曲目。猜谜和制谜都有一定难度，兼具知识性和趣味性。

吃元宵　这一习俗在我国很久以前就有了。北方是“摇”元宵，南方是“包”汤圆，都是由糯米粉制成的。从外形和口味看，都象征着团团圆圆、甜蜜幸福。

走百病　又叫“散百病”，人们在元宵之夜结伴而行，一起过桥甚至到郊外。传说，这样可以祛病除灾。

送孩儿灯　简称送灯、送花灯，是指元宵佳节之前，娘家给新嫁的女儿家送花灯，有时是亲友给新婚不育的家庭送花灯。“灯”和“丁”读起来谐音，所以，送灯也有“添丁”的内涵。

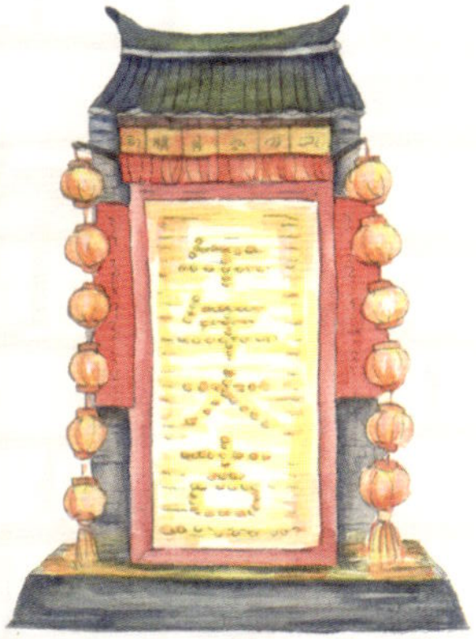

蔚县拜灯山

柳林盘子会

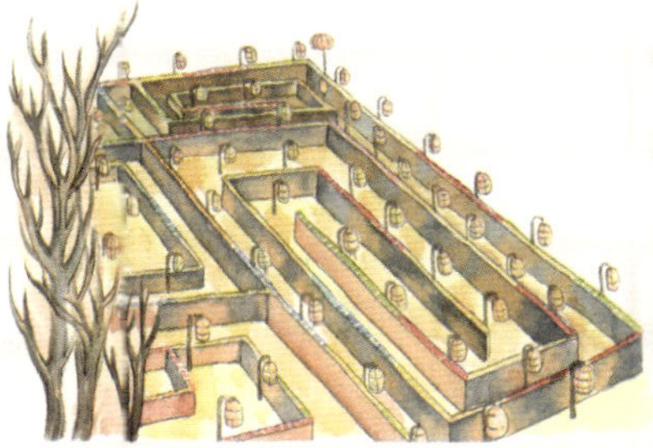

九曲黄河灯阵

马尾－马祖元宵节

灯谜

一棵小树不太高，小孩爬在半中腰，身穿小绿袄，头戴红缨帽。

稀奇稀奇真稀奇，拿人鼻子当马骑。

一张小方画，无脚走天下。四周是锯齿，佳音传天下。

远看山有色，近听水无声。春去花还在，人来鸟不惊。

小时着黑衣，大时穿绿袍，水里过日子，岸上来睡觉。

谜底

玉米

眼镜

邮票

画

青蛙

元宵节的传说

很久以前，人们不小心射死了降落人间的神鸟。天帝震怒，下令让天兵于正月十五到人间放火。他的女儿不忍心看百姓无辜受难，偷偷地把这个消息告诉了大家。众人吓得不知如何是好，许久才有人提出：“在正月十四、十五、十六日这三天，每户人家都在家里张灯结彩、点响爆竹、燃放烟火。这样一来，天帝就会以为我们都被烧死了。”

大家依计而行。到了正月十五晚上，天帝发觉人间一片红光，响声震天，接连三个晚上都是如此，便以为是大火燃烧的火焰，心中大快。人们就这样保住了自己的生命及财产。从此每到正月十五，家家户户都挂灯笼、放烟火来纪念这个日子。

清明节

清明节，中国农历二十四节气之一，也是我国传统的民俗节日，通常是在4月5日前后。

清明节又称踏青节，经历了一个沉闷寒冷的冬天，人们终于可以舒展僵硬的筋骨，走进田野了。这段时间，气温回升、万物生长，农谚“清明前后，种瓜种豆”，表达的就是清明乃春耕的大好时节。除此之外，清明节还会举行扫墓活动，以此祭祀祖先。

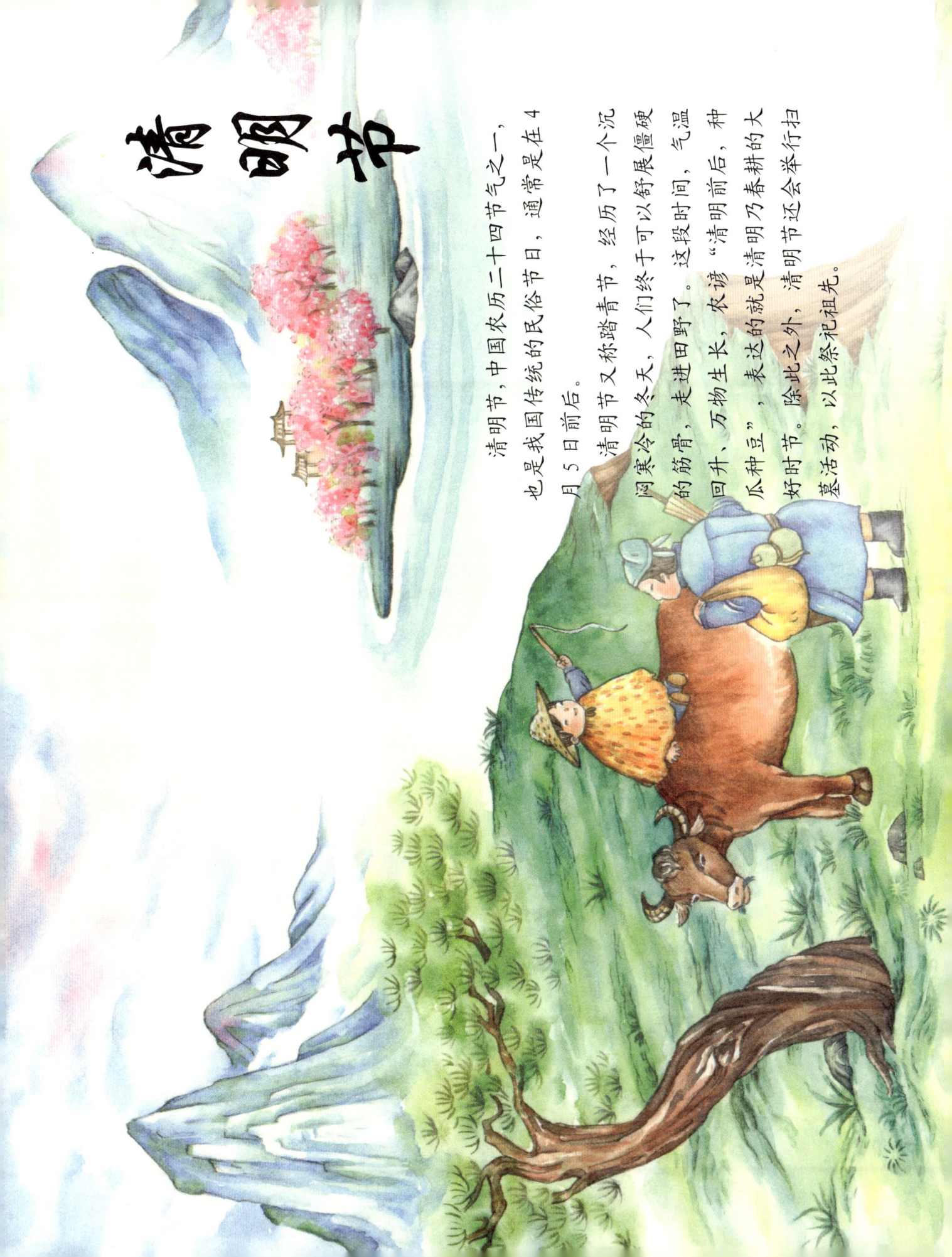

清明节

申报时间：2006

申报类别：民俗

申报地区：中央（文化部）

历史

据史料记载，清明节迄今已有两千多年历史。《淮南子·天文训》中就有关于“清明”的记载。除了汉族外，满族、壮族等少数民族也过清明节。在发展过程中，清明节融合了上巳节和寒食节的习俗——踏青、植树、扫墓、祭祖。

现状

如今，清明节在人们心目中的地位并没有动摇，而且已被列为法定节假日。清明时节，人们祭祀祖先，祭扫烈士陵园，表达对先人的缅怀之情。

习俗

禁火　清明节前的一两天，禁止烟火，只吃冷食，如面饼熟食或油炸食品。

荡秋千　古代的秋千多用树枝为架，再拴上彩带做成。后来逐步发展为用两根绳索加上踏板的秋千。站或坐在上面，用力一荡，简直就像飞了起来，很锻炼人的胆量。

踏青　古称探春、寻春，又叫作春游，是清明时节一项郊游活动。张择端在《清明上河图》中描绘了北宋时期汴京郊外春游的热闹场景。

蹴鞠　中国古代足球运动。鞠是一种皮球，球皮用皮革做成，球内用毛塞紧。蹴鞠，就是用脚去踢球。相传是黄帝发明的，最初目的是用来训练武士。

扫墓　又称上坟。清明时节，后代为先人修葺墓地、祭献食物、焚香烧纸叩头，表达对祖先的“思时之敬”。

古诗鉴赏

清明

杜牧（唐）

清明时节雨纷纷，
路上行人欲断魂。
借问酒家何处有？
牧童遥指杏花村。

蚕花姑娘的传说

很久以前，太湖边住着户人家，家里只父女二人，父亲打仗走得很远，只剩下女儿和一匹白马相依为命。一日听闻父亲被敌人围困，她作出决定，如果谁能解救父亲，就以身相许。

白马好似明白了女儿的意思，几天后真的驮着父亲回了家。可是女儿怎能嫁马？父亲不允，将白马杀死。女儿伤心欲绝，以死殉情。人们将她与白马合葬。第二年坟上长出桑树，上面还有一条小蚕，小蚕吃桑叶长得很快。此后，每年清明时节，人们就举办轧蚕花活动，怀念蚕花姑娘，祈盼“有情人终成眷属”，也希望蚕事兴旺。

端午节

端午节是中国的传统节日，又名重午、端五、蒲节，时间在农历五月初五。端午节起源于民间习俗，传遍全国各地，主要分布于广大汉族地区，壮、布依、侗、土家、仡佬等少数民族也过此节。

在两千多年的发展历程中，各民族赋予端午节丰富多彩的传说故事和习俗。“清明插柳，端午插艾”“喝了雄黄酒，百病远远丢”这些家喻户晓的谚语，道出了清明节插艾、喝雄黄酒的节日习俗。

端午节

历史

端午节的起源有许多传说，如纪念屈原投江、始于五月五日毒日的禁忌、越王勾践训练水师、纪念伍子胥投钱塘江和曹娥救父等，这些说法经过历代加工，与端午的民俗活动结合在一起，从而形成中华民族的一个节日。

申报时间：2006

申报类别：民俗

申报地区：中央（文化部）

湖北省（屈原故里端午习俗、西塞神舟会）

湖南省（汨罗江畔端午习俗）

……

现状

随着社会的进步，端午节渐渐发展成为内容丰富的传统节日。每逢五月初五，人们都会举行形式多样的活动，如包粽子、挂菖蒲、插艾草、赛龙舟等。端午节，这个多民族共享的节日，既弘扬了传统文化，又激起了人们对美好生活的向往和对国富民安的祈求。

习俗

＊纪念历史人物；

＊划龙舟；

＊吃粽子；

＊游戏，如玩斗草、击球、射柳等；

＊防五毒习术，如贴端午符剪纸，挂艾草、菖蒲，佩戴香包等。

挂艾草

射柳

龙舟比赛

包粽子示意图

①

②

③

④

⑤

⑥

菖蒲

这种植物的叶子长得像锋利的剑，生长在水边、沼泽，因此被称为“水剑”。古代，传说可以驱除邪祟，所以人们在端午节时挂在门上。实际生活中，菖蒲还可以驱蚊杀菌。

香囊

你有没有佩戴过香囊呢？通常是把一些中草药，如苍术、藿香、艾叶、肉桂等制成药末，装入缝制的各种形状的布袋中，然后用五彩丝线锁扣。传说端午节佩香囊，不仅可以驱蚊避虫，还能强身健体呢。

端午节的由来

公元前 278 年农历五月初五，楚国大夫、爱国诗人屈原听到秦军攻破楚国都城的消息后，悲愤交加，心如刀割，毅然写下绝笔作《怀沙》，抱石投入汨罗江，以身殉国。沿江百姓纷纷引舟竞渡前去打捞，沿水招魂，并将粽子投入江中，以免鱼虾蚕食他的身体。

千百年来，屈原的爱国精神和感人诗篇，深入人心；始于春秋战国的端午节也逐步传播开来，成为中华民族的节日。

中秋节

一提到中秋节，首先浮现在我们脑海的肯定是皎洁的圆月、香甜的月饼，甚至还有嫦娥奔月的民间传说。

中秋节，又称八月节、团圆节、拜月节等，时间在每年的农历八月十五，是流行于全国众多民族中的传统文化节日。此时正值硕果累累的深秋，与亲人同饮桂花酒、举杯邀明月、品尝瓜果；远离故土的异乡人，寄一份相思于明月，表达绵长的思念和祝福。

中秋节

申报时间：2006

申报类别：民俗

申报地区：中央（文化部）
福建省（中秋博饼）
广东省（佛山秋色）

历史

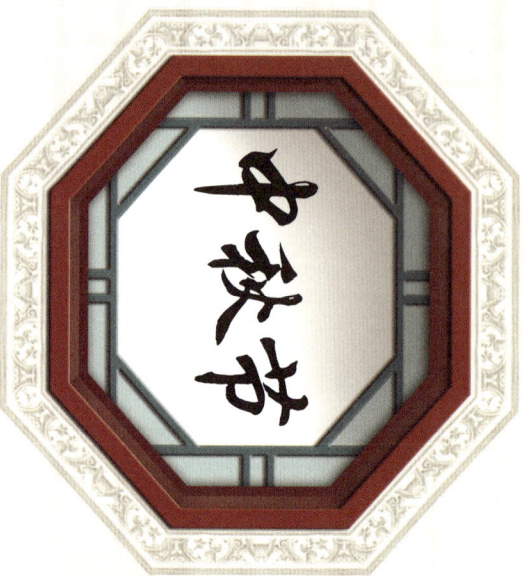

中秋节最早可追溯到唐朝初年，宋朝兴盛，发展到明清时期已成为我国与春节齐名的主要节日。可见，中秋节在人们心中的地位有多么重要。关于中秋节起源的传说有很多，但都表现了人们向朗朗明月寄托的美好祝愿。

现状

近代以后，随着人们对中秋月亮信仰的淡化，传统的祭月活动渐渐弱化，但在花好月圆夜亲人团聚、赏月、品尝月饼的习俗仍被传承下来。受中国文化的影响，韩国、日本、越南等国家也过中秋节。

习俗

祭月 我国自古就有“秋暮夕月”的习俗，指的是供桌上摆放秋收的新鲜水果和月饼，在花好月圆夜祭拜月亮。早在周朝就有帝王祭月的习俗。北京的月坛就是明清两代帝王祭祀月神的地方。

挂通草灯 这是江西一带的风俗。中秋之夜，村民们用稻草把瓦罐烧得遍体通红，再趁热把醋倒入瓦罐中，刹那间，醋香飘满整个村子的上空。

赏月 与祭月相比，赏月随意很多，与亲人欢聚一堂，一杯桂花酒、一块月饼、一轮明月，足矣。古代文人赏月，寄托了无限思绪，比如苏东坡就曾写下千古名句：“但愿人长久，千里共婵娟”。

燃宝塔灯 中秋夜点宝塔灯，主要流行于我国南方。村里的孩子在田野里捡一些瓦块，再将瓦块一层一层地搭成宝塔的形状，然后在四周点上灯。

佛山秋色

中秋博饼

兔儿爷

那些头戴盔甲、身穿红袍的兔儿爷别提多神气了！它渊源于古老的月亮崇拜，早期用于中秋祭月；经过不断演变后，发展出丰富多彩的表现形式，变成了孩子们喜爱的中秋节玩具。造型奇特的兔儿爷是北京传统文化的代表，在庙会上还很常见。

嫦娥奔月

相传，古时天上有十个太阳，晒得大地干涸，民不聊生。一个名叫后羿的英雄，一气射下九个太阳。很多志士前来学艺，心术不正的逄蒙也混了进来。

西王母赐给后羿一包不死药。然而，后羿舍不得嫦娥，把不死药交给她珍藏。逄蒙看见了，顿时心生歹意。一天，逄蒙趁后羿外出狩猎，威逼嫦娥交出不死药。嫦娥情急之下，只好吞下不死药，瞬间飞上天空。由于牵挂丈夫，嫦娥飞到离人间最近的月亮上成了仙。

后羿回家后悲痛欲绝，派人到妻子喜爱的后花园里，摆上香案，放上她平时最爱吃的蜜食鲜果，遥祭嫦娥。从此，中秋节拜月的风俗就在民间传开了。